D0433691

Jonas Boets

jop is een haai

Met prenten van Joke van Camp

DE EENHOORN

jop de vis is heel klein.
klein en geel.

jop heeft een vin op zijn buik.
en een vin op zijn rug.
ook die zijn heel klein.
zijn bek is zo groot
als het oog van een mier.
dat is jop de vis.

maar let op!
jop de vis is klein.
maar hij is wel heel stoer.
want jop is een haai.
of dat denkt hij toch…

dag jop, zegt krab.
wat doe je?
ik ben op jacht, zegt jop.
pas maar op.
of ik eet je op!
ha ha, lacht krab.
dat kun je niet.
jij bent veel te klein.

niet waar, zegt jop.
ik ben niet klein.
ik ben een haai.
jij, een haai? lacht krab.
wat een grap.
denk eens na, jop.
jij bent echt veel te klein.

jop gaat boos weg.
hij is wel een haai.
krab is blind.
dat is het.
ze ziet niet goed.
ooit eet ik krab op, denkt jop.
dan lacht ze niet meer.

Z
P

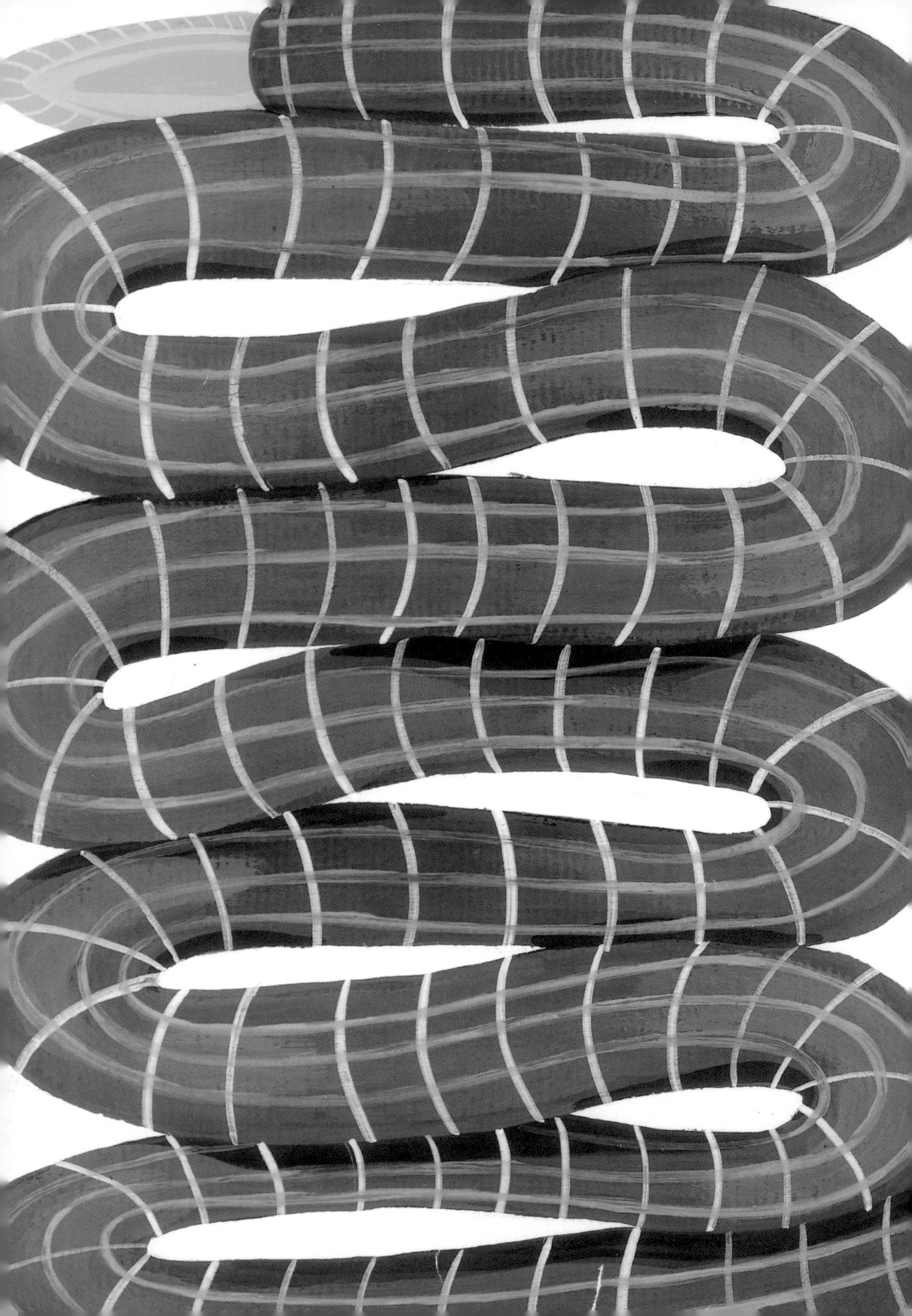

naast jop is er een aal.
uit de weg! roept aal.
ik moet snel zijn.
maar jop gaat niet uit de weg.
ga weg, roept aal nog eens.
ga zelf weg, zegt jop.
ik ben een haai.
een haai gaat niet uit de weg.

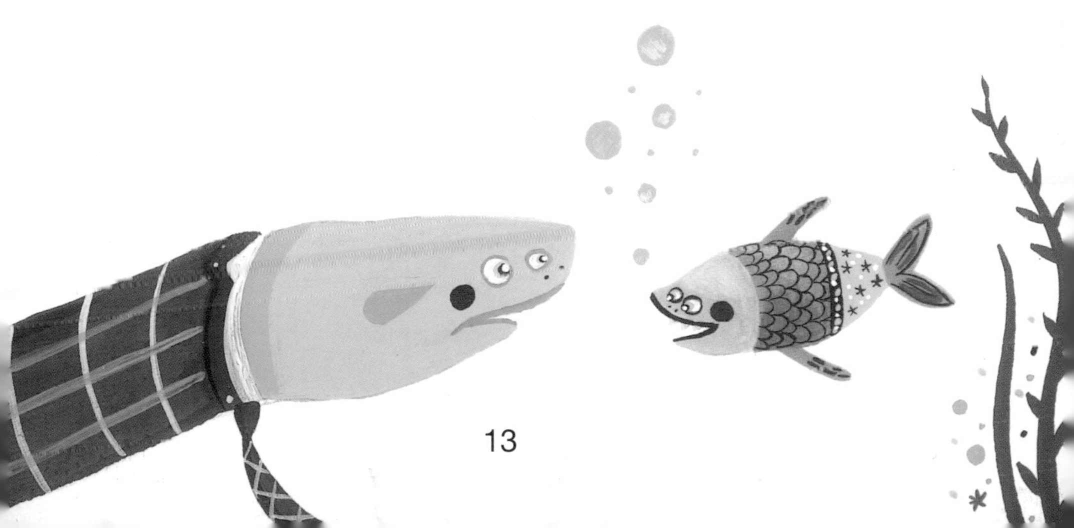

een haai? waar? vraagt aal bang.
hier, zegt jop.
ik ben de haai.
jij bent toch geen haai, zegt aal.
een haai heeft een vin.
die is zo groot als een huis.
die heb jij niet.

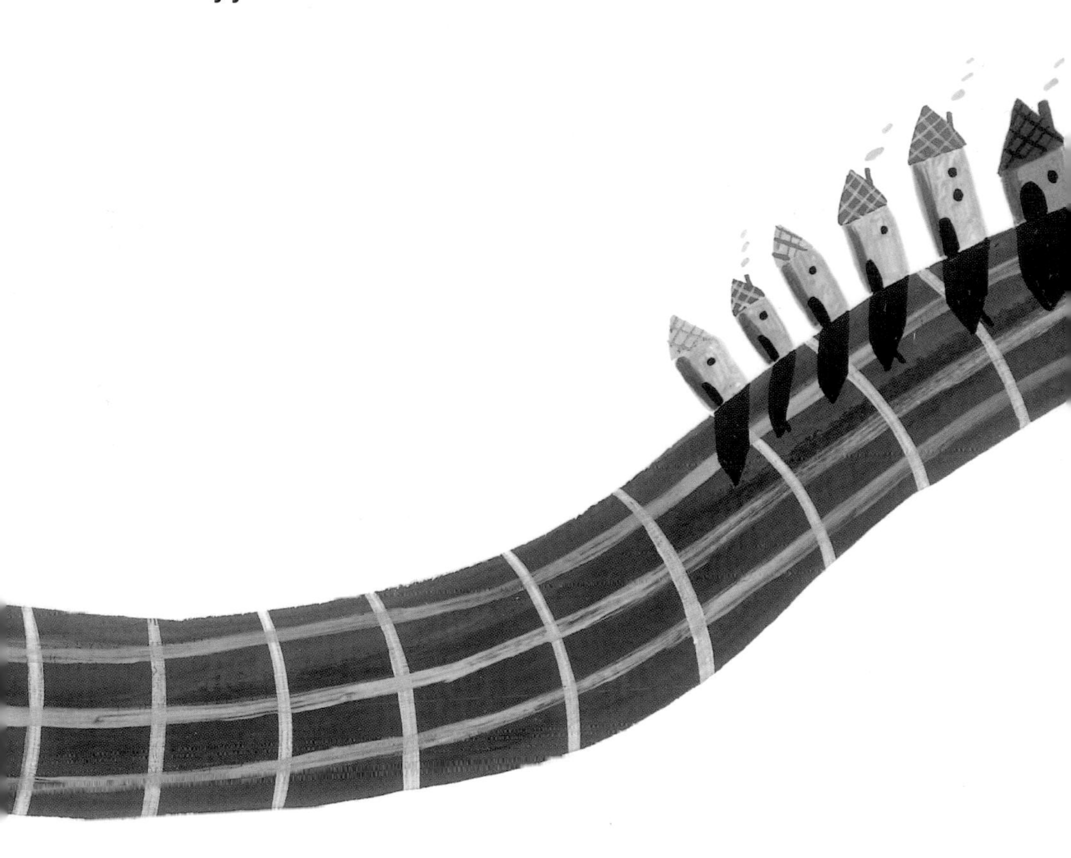

daar is kwal.
jop doet hap.
voor de grap.
wat doe je nu? vraagt kwal.
ik ben een haai, zegt jop.
ik eet je zo op.
pas maar op.

nee, doet kwal.
jij bent geen haai.
de bek van een haai is heel breed.
en elke tand is zo groot als een berg.
jouw bek is veel te klein.

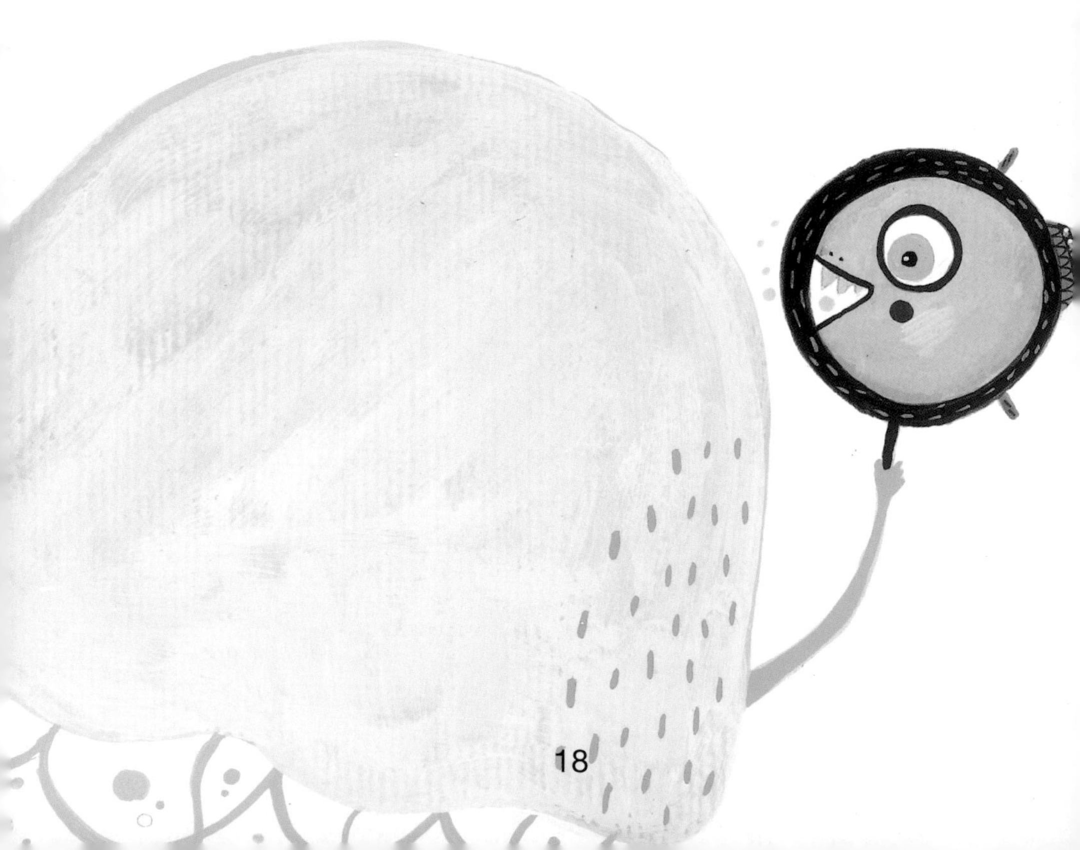

jop is boos.
hij is een haai.
maar ze zien het niet.
wat moet hij doen?
een haai is kwaad, denkt hij.
dus moet ik kwaad zijn.

jop hoort een stem.
en nog een.
kijk, dat is jop, zegt de stem.
hij denkt dat hij een haai is.
maar dat is hij niet.
jop toch.
je bent veel te klein.

jop kan het niet meer aan.
hij is wel een haai.
hij wordt rood.
heel rood.
hij lijkt wel een kriek.
zo kwaad is hij.
hij roept heel luid:

ik ben wel een haai!

krab kijkt naar jop.
ze is bang.
aal is bleek.
hij is net zo bang.
en kwal?
die zwemt al weg.
pas op, een haai! roept kwal.
let op!
kijk uit!
en weg zijn ze.

plots is het stil in zee.
heel stil.
jop is blij.
zie je wel, denkt hij.
ik ben een haai.
en wat voor een!

Voor eerste lezers.
Lezen na 6 maanden leesonderwijs.
AVI 2 - AVI-M3

Druk: Oranje, Sint-Baafs-Vijve

D/2009/6048/16
NUR 287
ISBN 978-90-5838-546-8

NEDERLANDSE
KINDERJURY
2010

www.eenhoorn.be